D1459816

ANNE DUDEN   STEINSCHLAG

ANNE DUDEN

STEINSCHLAG

KIEPENHEUER & WITSCH

Dieses Buch wurde vom Deutschen Literaturfonds e. V.
Darmstadt gefördert

Umschlaggestaltung Kalle Giese, Overath
Umschlagabbildung Meister des Bartholomäus-Altares,
Christus als Schmerzensmann (Ausschnitt) Kunsthalle Bremen
Satz Kalle Giese Grafik, Overath
Druck und Bindearbeiten Pustet, Regensburg
ISBN 3 462 02235 0

INHALT

STEINSCHLAG

I

Der Tonfall ein Dauerregen
gleichmäßig geschnürt Litaneien des Verhangenen
in denen die Bilder ertrinken
aus einem Deutschland
das nie existiert hat.
Unter vorgezogenem Dach und niedriger Decke
Antizyklone
lichtscheu und kalkig bestäubt
auf engstem Raum beieinander
während wenige Meter weiter
grellweiß vor geschuppten Stämmen
eine steilaufgerichtete Helle steht
in der nur die hohen und beweglichen Töne
angeschlagen werden.
Witterungsunabhängig.

Kein Weg geht am Arbeitslager vorbei
und nur einmal pro Schicht darf der Abtritt benutzt werden.
Die aus dem steinernen Karree mit den schweren Eisentoren
werden bei einsetzender Abenddämmerung
gewaltsam geweckt
zusammen in die Auferstehung getrieben
und unverzüglich nach nebenan in die
    Strumpfhosenproduktion geschickt
obwohl sie unbedingt liegen müßten.
Die Worte krümmen sich nach innen
und stecken gebückt in den Verstorbenen
nach einer solchen Nacht.

Von den ausschließlich verweinten Zeiten
sind nur Abflußrinnen und Furchen geblieben.
Der braunkohlenfarbene Engel
den Blickkontakt verweigernd
macht Beute weiterhin in Einzelstücken.
Unökonomisch dafür aber gründlich.
Er läßt sich das Gegenteil nicht beweisen
da er unbeugsam und immer im Recht ist.

Eingezwängt in schmalste Zeitritzen
wie in Haarrisse
für Soldaten auf dem Weg zwischen Schlag und Schlacht
plötzlich die größte Weite
ein über Sekunden höchstens wenige Minuten
sich dehnendes
unbeteiligtes weil sonst tödliches Aufmerken
hellhöriges aber heimlich bleibendes
Aufschluchzen
einiger Kilometer Landschaft
entlang der Autobahn
der Autobahn selbst
wo die Landschaft flimmernd vor Hitze
sich bis auf sie gelegt hat.
Eigentlich nichts weiter als die Regung
ganz alltäglicher Mischungsverhältnisse
Licht Luft Farbe und Form
die sich immer schon herausgehalten haben.

Natürlich ALLES ist Ekstase
letztendlich
und vom Asphalt bis zum Horizont
würde sich keilförmig ausbreiten

klaffende Schluchten schlagen
wenn man es ließe.
Jedoch: immer an den Lebenslänglichen vorbei
den Raub- und Greifengelbefohlenen
die sich nichts wünschen als nie wieder aufstehen zu müssen
nackt und kahl wie sie sind
mit nichts als ihrer ungefütterten Haut bekleidet
beschwert nur noch durch das eigene Skelett
dem das Mark entzogen wurde.
Das Ekstatische ein Extrakt
eingeklemmt
erkaltet verhärtend in Spalten
Abgründen der Zeit
zu denen ihnen der Zutritt verwehrt wurde von Anfang an.
Wer den Ausbruch schaffte
verging an Erschöpfung.
Zu gering die Kraft
mit den schon immer blutleeren Lippen und ungeschulten
Ringmuskeln
den Nektar hervorzusaugen und sich einzuverleiben.

Weit und breit kein Leichtfüßiger in Sicht
kein Vertreter der leisure class
und sei's nur für einen minutenlangen Beistand.
Jeder Tote Dreckanzeiger und -beseitiger ein Extremist.
Zum Schluß aber auch dann erst
und keine Sekunde eher
besänftigt und beschwichtigt für den Fall
daß die lauernde Ewigkeit
früher zu Ende geht als angenommen
mit Einheiten in Windeseile hochgezogener
zu hastiger Blüte aufgeputschter Topf-Chrysanthemen

in Gelb Rostrot und Violett.
Vorbeugende Abwiegelung für den Fall
daß alles herauskommt
aufgedeckt wird wie von Geisterhand
mit eiserner Harke umgewendet von wer weiß wem.

Seit zwei Jahren tote Cathy
dreiundzwanzigjährig
kaum lächelnd
vom Vater in die Erde gejagt gesteckt festgetreten
und bis auf das Photo
von der Gegenwartsliste gestrichen.
Beschwert von Marmorplatten
einmal pro Jahr offiziell eingelullt
damit die Betäubung anhält
der Dämmerzustand
die Lähmung
aus der sich schon keiner erheben wird
und das Unterste zuoberst kehren
oder sich selbst
im Tiefschlaf der Killer.

Inzwischen halten sich die Leichtfüßigen hingegeben
ahnungslos
ein der Schicht mitgeliefertes Recht
und holen sich Luft
gestisch anmutig
aus dem Vorrat des Unverbrauchten
als stünde ihnen das so fraglos zu
wie ihre grazil sich entfaltende
den Blicken darbietende Unschuld
und der sprudelnde Wortschatz

der den Heimwiederaufbereitungsanlagen entnommen wird.
Laut Gesetz muß jede verbliebene Anschaulichkeit
abgegraben und ihnen ausgehändigt werden
zwecks Ausdünnung bis Beseitigung der Metaphern
daraufhin sich einfindender Leidenschaft
und unumwundener Befriedigung.
Ein Vollzugsprivileg.
Sie brauchen sich keine Gedanken zu machen.
Auch ohne ihr lächelndes Zutun
verwandelt sich die noch gerade brüchige Silhouette
unter der das Wasser eingesammelt aufbereitet
und in die höheren Schichten gepumpt wird
in ein Zentralmassiv.

Freigehalten vertiefen sie sich in die Wunder der
Zwischenräume
verausgaben sich gläubig in dem jeweils letzten Überrest
und kriegen bloß ganz leichte Schläge ab
nur die die das SCHICKSAL ohnehin austeilt
und ohne deren Zugabe der Lauf der Welt eintönig würde
in den irrigierten Regionen der Gipfelhocker.
Hier werden Kaiserlinge gereicht
und nicht die täglichen Portionen Henkersmahlzeit
aus Fliegenpilz Schotter und geschrotetem Schwermetall.

Unterdessen atme ich Steine
bei strengster Geheimhaltung
falle anhaltend auf die Härte des Pflasters zu
den Treffpunkt
die Schlagfläche
über die man hinweggeht
mit leichtgeschürzten Lippen

und lasse mich vom Leben nur
schreiend wimmernd und ausschlagend
abbringen
das sich inzwischen
hinterhältig verwöhnt und feige verstohlen umsehend
in die entgegengesetzte Richtung davonmacht
wo es sich folgsam aber lieblos
vergafft in angebotene Frischvulven
und vorgeschobene Sekundärmerkmale
und sich grundsätzlich von der erstbesten Zerstreuung beim
Schopf packen läßt.

In Flattersätzen springe ich die Demarkationslinie an
stehe unter den Gebirgen und hinter den Wüsten auf
muß bei den Kindern ein Mädchen mit ansehen
das zu einem Drittel mein Kind ist
entwachsen der Gewaltmischung
Rache Alkohol und Gedächtnisabtrieb
mit lichtem Kräuselhaar und nachdunkelnder Haut
schönes kindliches Früchtchen dichtesten Nebels
und dunkelster Verlassenheit
nagt es an meinen Gefühlen
bekommt mehr als seinen Teil
von Familientrupps ausgeschickt
und läßt sich nicht abschütteln
mit dem üblichen Recht auf seiner Seite.

Einmal nur schien es atemraubend durchsichtig
hilflos im Licht
schutzlos sich windend
daß mein Herz hinschlug für es und auslaufend erst zur
Ruhe kam.
Gleich danach aber war es schon wieder verlängerter Arm

angestachelt und kalt entflammt
auf Vorteile aus Trümpfe und glatte Vollstreckung.

Steinatem jetzt aus dem Bett der Durance
weichgescheuert unbehelligt ausgewaschen
hinter Ilex versteckt und
aufgehäuften Teerschollen aufgerissener Straßendecken.
Zwischen dem ausgemachten Ruin
holt mich der Atem schlagartig
legen die Landschaften sich frei im November.
Laublose Bäume
die über Müllproduktion und -lagerung
zu ihren Füßen unter ihrem offenen Dach
stoisch hinwegsehen.
Im freien Fall der kostenlosen Erleichterung zu
die aufrecht und aus dem Stand nicht zu haben gewesen wäre.
Palaver im Austausch gegen Stummheiten
Menschenhaare gegen Blätter
die dem Mundboden entwachsen
sich zwischen die Lippen schieben
sich lösen und fallen lassen.

Endlich Steinquadrate in Aix.
Tiefgelegener Ruhepunkt unter den Jargonspitzen
ungestörter Schlagplatz mitten im kalten Krieg der Wirkwaren
Aufprallzone ohne Abdruck
auf sie zu
jetzt
gleich
bei fünfundvierzig Grad Sturzwinkel und Sichtkeil

Ablösung und Auffliegen der Schwebepartikel
wirklich nichts als eine Fehlzündung
die einen Schwarm Tauben mit klatschenden Flügelschlägen
in die Luft jagt.

Als das Blut erleichtert aus den Platzwunden quillt:
sich einpendelnd in der Waagerechten
nachzitternd in der abendlichen Luft
gesammelt und leicht gerötet
ein bis zwei Meter über dem Steinspiegel
die unblutige Tagschlaf-Figur
mit abgewinkeltem Kopf.
Zäh und biegsam ihre Gerüstknöchelchen
zart in der Form eines Fragezeichens die Wirbelsäule
während die Neonlichter landesweit aufflackern
die Gasflammen rauschen
und die Kanäle zu Füßen zu Köpfen
in Berlin vor allem
stillstehen.

II

An Riemen- und Rautenmuskeln gepreßte Bittertaschen
geschlechtslose Adamsäpfel in der Kehle
und im verschwimmenden Mund die aufgeriebene taube
Zunge
die Beistandsverträge einzuhalten versucht
ausdauernd überrundet von Wortläufern
und global organisiertem Nachschub
über Gegenden hinweg
denen Zeitdruck aus Deutschland die Landschaft abnötigte
aus Gründen der Bedarfsmehrung.
VORSPRUNG DURCH TECHNIK

in all fairness and if I may say so.
Und sowohl die Fleißarbeiten der Kleinaufklärer
als auch die Flaneurübungen der sich beweglich Haltenden
haben Hochkonjunktur an der Peripherie
und in den Skelettnischen
in denen es friert
die Körpertemperatur aber unbeirrt nicht sinkt.

Natürlich schießt es zu Kopf
kappt die Zahnwurzeln ab
brennt das Herz die Hauptwunde aus.
Hochgetrieben schon länger der Stimmton
von Nachrückendem an der Unterseite gestoßen und
bedrängt
heisere Wortspäne zerbröselnde Silben Buchstaben
und die angeschabte Stille
wenn die Notwendigkeiten nicht mehr verfangen.

Hölderlin als Siebzigjähriger
AUF DEN GASSEN DER GÄRTEN
starren Auges vornübergebeugt
immer geradeaus der einwärts geschlagenen Blickrichtung
nach
ohne Weg- und Wendemarke
eine Schlacke mit geladenem Gedächtnis
AN ZIMMERN.
Aufmüpfig der Körperrest
nachts randalierende Zeitruine
damit einmal im Gedicht
im letzten Vers ABER
DIE LIEBE LIEBT
allein in der tagsüber geheizten Einöde
wo die Festen am Hinterkopf nur durch Genickschuß zu
sprengen wären.

I AM YOUR ONLY SURVIVING MEMORY

I

In voller Morgensonne
vor gewitterschwarzer Himmelswand oder kosmischen
Rußhalden
zwischen den Einsätzen von Wirrschlaf
Gewalthandlungen
Gärungsprozessen
Ort der Gehenkten in Höhe der Oberschenkel.
Aufgegabelter Zungenwurm
der Fortsatz durchs Nadelöhr eisernen Griffs gezogen
nicht weit von der Schamkapsel unter gerüschtem Röckchen
gleichgültig abgespreizt vom eigenen Körper.
Tierische Teigware
mißmutig angeschleppt und mitgeschleift
fast aus der gefingerten Öse rutschend
des Rüstungsträgers
vielleicht zivilen Bäckers
vielleicht Innen- oder Außenministers.
Ihn kümmert nichts.
Seine Frau macht die Ablage.

Im Totalschatten der Transport- und Verkehrswege
Herzschläge in den nackten Sand
Schluckzone alles Gewesenen.
I AM YOUR ONLY SURVIVING MEMORY
geräuschlos inmitten der Dauercluster
röchelnd und würgend

mit hervorquellenden Augen
im Nacken die Stich- oder Stoßwunde.
Druck auf die Knorpelspangen der Luftröhre
reißt die Kiefer auseinander
spitzt und streckt die austrocknende Zunge
legt den Mundboden frei
setzt die Schleimhäute dem Luftbiß aus.
Bevor es Nacht wird
und das Gehenkte abgeschnitten fallen gelassen
wie ein geschundenes Lasttier
neben die Bettstatt gelagert
wo die Luftzufuhr sich noch einmal wiederherstellt nach
Anfall und Krampf
bis morgen BIS MORGEN
und bis in den Lähmungsschlaf hinein
der alles vergräbt und versenkt
den starren Brandherd im Nacken nur auflodern läßt
unter Schichten saurer Dunkelheit
die ins Fleisch gefräste Schneise.

Nichts als ein Traum aus größtmöglicher Ferne
daß der Berufsschinder aus dem Eisen steigt
stumpf sein Wasser abschlägt
weich wird im Liegen
das Röhren- und Hülsengefüge scheppernd fällt
und nur der Rüsthaken durch klaffende Schlitze im roten
Wams
ein gekrümmter Zeigefinger
in die Leere hinein anlockt
das Gehenkte von morgen.
Zwischen Damastgewebe und Damaszenerschwert.

Niedergeschlagene Bereiche
aufkeimend in den Feuerzonen.

Und ein Zittern im Versteck eingeprägter Wellenschläge.
Draußen der Wind der Jungverheirateten
Mutterschaften und Anzeigenerstatter
neben den Geschäften.
Vollkommen eingeschneit von Leerstellen.
Leuchtend chromgelb der Zustand des Verräters
dauernd sollen die Forsythien blühen
auf Moostellern
oder in kleinsten in Zigarrenkisten angelegten Taggärten
zu Ostern
und Silberarmbänder ausgelegt sein
auf nackter Schwarzerde
in gierschüberwucherten Rabatten.
Schon Gründonnerstag Entwürfe
bei weichem Regen aus den Versenkungen wachsend
aus der Registratur hervortretend
als hätte kein Unternehmen
je Zimmer und Außenräume belagert
keine herrschende Gefühls- und Denkabstinenz
die Luft je abgezogen
sich nicht der gerade noch vorhandenen Zuschlagstoffe
bedient
nur um die Reste in Betonmäntel zu schließen
und einzugießen in ewigen Gallert.

In den Stauchzonen dagegen die endgültig Entgeisterten
die mit fahrigen Gesten sich übers Gesicht wischen
und an der eigenen Haut schon abrutschen
unaufgefangen am Straßenrand.
Ich nicht.
Frierend in die steinharten Nächte geritzt
und geflüstert in Richtung der Absperrungen
und geschlossenen Gesellschaften.

Traumvergorene Beschaffenheit
hellwach auf des Messers Schneide
mit den sichtbaren Würgmalen der eigenen und anderer
Finger.
Aber als zählten die Griffe nicht
und nicht die Schärfe der Klinge
verteilt es sich rücksichtslos im augenblicklichen Raum
zwischen jetzt und gleich
und als wäre von Anfang an fast alles ungeschehen
hebt wiegt es bis zum Spätnachmittag
selbst die dreihundert Elefanten auf
die heute noch erschossen werden
wie an jedem Tag.

Hochstand der Zeitgleiche
wo die Füllgesetze aufeinander einwirken.
Zuunterst quellend
zuoberst aufwallend
gewachsenes Maßwerk.
Von hier aus wegen der Ferne ohne Erregung
die Draufsicht
und wegen der Nähe der Türmergaloschen
und der eben erst durchgelegenen Nacht ohne Kälte
der Überblick.
Im wolkigen Förderstaub deutlich entzündete Nasenlöcher
glühend
vor sich hin nässend
und eine Taube ohne zweiten Fuß mit verwüstetem Gefieder
in Kaufrichtung hinkend
sowie Stehlampe Fernseher Couch und ein Mensch
bei vierzig Watt hingestreckt in den verschossenen
Feierabend.

Etliche aus Deutschland
dem FUGGER AD zum Verwechseln ähnlich.
Auf einmal.
Bei Frühreifen ab Mitte Dreißig bereits
die eingefressenen mürrisch verfransten Mundbörsen
und geharnischten Pupillen.
Geballte Scharfmacher
mit aufgebracht abrechnenden Blicken
oder kompakten Tätlichkeiten
pausenlos abschmetternd
was unaufgefordert ihren Weg kreuzt
nicht kurz angebunden parallel verläuft in vorgeschriebener
Richtung.
Dabei selbst unrettbar verklemmt und verkeilt
in eigenheimlicher Verdrückung und Materialschwemme.

CHRIST IST ERSTANDEN
HIER ins Dickicht der Eingeweide und Innereien
ungeschlacht und blakig beleuchtet
bei großer Frühjahrsmüdigkeit und Mengen von Hundekot.
Obwohl einige Grashalme in einem tiefen rötlichen Licht
aufglänzen
und etwas selbst da noch sich bereit hält.
Entfaltungsunfähig allerdings
und nur bei Gewitter manchmal entladungswillig
oder wenigstens kurzfristig aufbrausend.
Noch fast jede ausholendere Bewegung
vertat und vergriff sich hier
schlug nach jahrelangem Hinhalten um in Umnachtung.
Oder wurde nach nützlicher sich erweisendem Gesinnungs-
wandel
ohne Aufhebens eingeholt zurückgenommen geschluckt

in den verwunschenen Tunneln des Verdauungstraktes
von Faulgasen gelähmt
anschließend zu Tode geschoben
und bis auf die unverdaulichen
klettengleich in den Darmwänden
sich verhakenden Rückstände
abgeführt.

In der Nacht stockt es sich auf
derart daß es den Erdgürtel durchstößt.
Während die Lobhudeler unbeeindruckt schlafen
und die Amseln schon ab vier Uhr früh
aus genetischer Überzeugung
und etwas umständlicher zur Bejahung aufrufen.
Als gälte es jede einzelne Blüte auszunutzen
HEUTE NOCH
und dann immer wieder
wo es sich doch um abgeschnittene Existenzen handelt
ausschließlich zu Erbauungszwecken gehalten
mit strikt eingegrenztem Lebensrecht.
Augapfelreservat einiger übriggebliebener Frauen
die heimlich an den overground Bahnhöfen
Malvensamen aussetzen
und im Sommer die Strecken prüfend abfahren
in unauffälligen Spähtrupps.

Noch hinter jedem Geliebten
der nicht einsehbare Abgrund der Ausgestoßenen.
Oder ich.
Besonders am Wochenende.
Und da: der tote Kanal zwischen Willesden und Wembley
mit seiner von schnell Verworfenem

allenthalben aufgeschlitzten Moderdecke.
Zugleich Säuglings- und Kleinkindverschiebung auf der
Brücke
unter sich verschüttender Zierblüte.
Schaum aufgebrauchter Erdmeere.

Bei Witterungsumschwung rühren sich die schlafaktiven
Unterseiten
faulen die Wasser fiebern die Narben
schlägt die Wurzelbrut aus
trumpfen Altsamen und -keime in Formenschwärmen auf.
Die männlichen Abgetriebenen schreien oder brüllen
die weiblichen scheinen nur zu wimmern
das Geschlecht von Wäscheklammern zusammengehalten
damit den Tätigen der Einblick ins rohe Fleisch erspart bleibt
oder die Einladung zur Müllablage verwehrt.
Teilgebiete frösteln schwitzen
werden von Hitze und Kälte zugleich heimgesucht.

Gleich zu Anfang kurz nach dem Aufbruch
wurde nachlässig geköpft
die Schnittstelle notdürftig mit Bettlaken verhängt.
Zwischen Von und Nach alles nicht dem Fortkommen
Dienende
zur Strecke gebracht.
Gegen Seitenblicke Scheuklappen
aus NATUR Landwirtschaft Zersiedelung.
Jeder Randflecken bei Bedarf als Kloake vereinnahmt.
Ungeliebt
hier
im Morgengrauen
Blut und Wasser unter sich gelassen
kauernd neben der Autobahn
zwischen Gestrüpp auf Blatt- Zweig- Kotschichten.

Unwillig zugestandene Erleichterung in brüchigen
Entleerungsnischen
hastig in die übergreifende Raserei
eingeschobene Notdurftpause.
Hier rötete das fahle Morgenlicht
das wie Blei glänzende Blut.
Ein runder langsam in den Untergrund wachsender Klumpen
dampfend von mitgegebener Innenwärme.

Jähes Hochkommen jetzt
wie unverhofft aus dämmrigen Kellern entlassen
blinden Verliesen gehoben
pausenlos abverlangter Tateinheit befreit
Geducktheit zwischen Kasse Tresen und Regal gerissen
Flachbauten pflegeleichten Ödgärten Kleinkarosserien.
Hochschnellendes Übereinkommen
mit den großen abgeschobenen Resten
die sich unangekündigt erhoben hatten
unüberhörbar unübersehbar entfesselt in alle Richtungen
und aufwärts.
Zwischen den Stämmen der Buchen vernetzte den
Morgenhimmel
noch taubes Laub
färbte den Regen ein
sättigte grüngrau die Luft
zu Boden tropfend
von Ast zu Ast
von Krone zu Krone gespannt und verflochten in
Tongeweben.
Es folgte kam mit
ließ
grenzenlos gutwillig
in das von Zigarettenrauch erstickte Wageninnere sich zwängen
eine geballte Raum- Luft- und Klangzufuhr.

Hielt sich einige Kilometer bei geschlossenen Fenstern
wurde dann bleich
schrumpfte schnell
sackte ab
entfiel der Anwesenheit gründlich.

II

Das dichte Laub ringsum verwirrte die Schatten.
Unbestimmbar aus welcher Richtung oder Entfernung der
Pirol rief.
Er war in eine große Schwere eingefaßt
der noch einmal entsteigen zu können ihm nicht in den Sinn
kam.
Hatte keine Kraft mehr die Schritte seines Schimmels zu lenken.
Lose hing der Zügel in seiner linken Hand
in seiner rechten hielt er die Waffe oder hielt sie ihn.
Der breite Pferderücken spreizte seine Beine hart auseinander.
Immer wieder fielen ihm die Augen zu bei offenem Visier
und sein Mund stand blöde offen
anders als sein aufrechter Körper
süchtig erleichtert der Entgleisung schon hingegeben.

Er war ein lastender Albtraum
aus dem sich nicht erwachen ließ
an den der Wald grenzte
die Zweige schlugen
den das Blattwerk befingerte und betastete
durch den das Licht grell und ruhelos flirrte
über den die Schatten der Baumstämme herfielen.
Er wünschte sich einen Schlag auf den Hinterkopf

der ihn aus der erstarrten Haltung stoßen
vom Pferd werfen würde
anhaltende Schwärze Ausgestrecktsein.
Schweiß floß an seinem dürren Körper ab
siedeheiß eiskalt.
Schon hatte er einmal nicht die Kraft gehabt
sein Wasser ordnungsgemäß zu lassen.
Es war aus ihm herausgewallt lau quellend
einlullende Erleichterung
die umschlug in heftiges Unbehagen
nasse Kälte in der er hüfttief steckte.
Weit hinter ihm zerbröselte sein Lebenslauf
zerfiel versank sein Daseinsgrund
dunkelte auch das jüngste Gefühl sich noch ein
verjährte schnell.

Er war seinem Auftrag entfallen
dem Zweck seines Ausritts.
Der Wald hatte sich über ihn hergemacht
der vielfache Vogellaut
das Gedröhn und Gewisper der Luft
Kälte Wärme Ansteckung
der Moment
die Schwäche der Glieder.
Nichts stellte sich dem Wildwuchs seines Insichgekehrtseins
entgegen
ihn überflutender Traumschwemme.
Bilder entflammten züngelten schlugen einander in die Flucht
trübten sich ein verglühten in Kratern seines Schädels
oder der Blättermassen.
Das Pferd bewegte sich und ihn im Kreis
ging die Bergwände hoch die Flanken der Schluchten
erstieg mit ihm die Baumstämme wie eine Fliege

stürzte ihn in Laubtunnel -wirbel -trichter
vor- auf- rückwärts
einer grüngoldflimmernden Raserei entgegen
die seinen Magen aus der Verankerung riß
umstülpte.
Er erbrach sich
schleimig eingedickt sickerte der Inhalt den Hals seines
Schimmels hinab.
Sein Oberkörper hing jetzt vornüber
schwankte bei jedem Schritt des Pferdes.
Letzte versprengte Reste seiner Unterscheidungsfähigkeit
hatten ihn mit dem Erbrochenen auch noch verlassen.
Und die mitunter schwach aufglimmende Hoffnung
bald vielleicht doch Herr seiner selbst zu werden
gab sich von alleine auf
wurde in einen Taumel von Bewußtlosigkeit gerissen.

Wüste verschmolz mit Wald
Feuer mit Wasser
Lust mit Unlust
Ferne und Nähe fielen ineinander
er und das Geträumte
und er und das Bild.

Er handelte verlangsamt fast bewegungslos
von einem tiefgelegenen Ruhepunkt aus
zu Fuß ohne Pferd.
Kämpfte verhalten andächtig zäh
insektengleich mit seinen überlangen Extremitäten
den kleinen Kopf eingezogen zwischen den steif gepanzerten
Schultern
eine dem Rumpf aufliegende Verkümmerung
ungelenk halslos
aber verstohlen wachsam aus dem Augenwinkel

das Umfeld kontrollierend
wie ein Raubtier beim Verzehren der Beute.
Er hätte den Besiegten ausweiden mögen
liebend gern an die offenliegende Unterseite sich geschmiegt
sich verbissen in der pulsierenden Halsschlagader
letztendlich zärtlich gestimmt.
Aber das war es nicht war nicht der Auftrag
über den er nachzusinnen begann
wie über etwas ihm lange Entfallenes.
Für einen kurzen Moment wollte eine Weisung sich formulieren
seines Gedächtnisses sich bemächtigen.
Sie lag ihm schon auf der Zunge
blieb dann aber ermattet dort liegen
bewegungslos
eine ihr Wachstum einstellende Maulbrut
verödet und tief ineinander vergraben
A CAN OF DEAD WORMS.

Er sah sich verschwimmend neben dem Stamm einer Weide
verschwinden in einer aufrechten Ellipse
eine Art Oval
in dem er den ganzen oberen Teil einnahm
der andere den unteren.
Er stand gebückt angespannt das linke Bein angewinkelt
den Fuß gegen den Hals des anderen gestemmt
mit der gepanzerten linken Hand
mit der er ihn auf den Rücken geworfen hatte
festen Griffs jetzt den Oberkiefer hochreißend
mit der rechten das Schwert ansetzend zum Stoß in den Leib.
Die Brennpunkte begannen zu irisieren
zu schwanken sich zu verschieben:
sein ungepanzerter Kopf sein Geschlecht in der Schamkapsel
der rechte Vorderflug der nackt klaffende After des anderen
die Spitze seines Schwerts.

Und in der Mitte das gekrümmte Schwanzende
erstarrt zwischen oben und unten
in der Lücke zwischen seinen Beinen.
Wie eine aus einem Nebelozean sich erhebende Insel
tauchte unter ihm in dieser Lücke
der Hals seines Schimmels jetzt wieder auf
und vor ihm ein Durchbruch eine Öffnung.
Er versuchte seinen Blick durch Lidschlag zu klären.
Berge blauten am Horizont
im Ausschnitt zwischen Blattwerk und Stämmen.
Der plötzliche Lichteinfall
ein jäher Luftzug eine lang ausgebliebene Frische
ergriffen streckten ihn richteten ihn auf
holten ihn aus einer vollkommenen Versenkung
in der er eben noch heimisch gewesen war
schlafwandlerisch vertraut mit einer Gesetzgebung
die ihn pflanzenhaft gebunden hatte
ohne Mühe ohne Schmerz.

Er wuchs auf dem breiten Pferderücken.
Aber der Schimmel ging nicht mehr weiter
hatte vielleicht lange schon auf der Stelle gestanden.
Ihm wurde erneut übel
er versuchte in die Runde zu blicken
das Pferd scheute warf den Kopf zur Seite.
Er konnte sich nicht dazu aufraffen alarmiert zu sein
sein Herzschlag beschleunigte sich nicht.
Nur leicht beugte er sich vor
und ein wäßriges Glotzen
das ihn schon länger ungeduldig erwartet hatte
traf für Sekundenbruchteile seinen unsicher tastenden
und schon wieder abdriftenden Blick
der sich nicht mehr abpassen oder festnageln ließ.

Wohltuend die Bewegungen
die ihn passierten
angenehm die Mattheit und Zerstreutheit der Glieder
überwältigend der laufende Kollaps der Himmelsrichtungen
und sonstiger Bestimmtheiten.
Jeder großäugige Dämmerungsvogel im Gebüsch
eine gleich wieder wegtauchende Erscheinung ein Gesicht
jeder Laut eine aufbrausende und schon verklungene Fuge.
Alles war vor hinter über und unter ihm zu allen Seiten
um- und überrundete ihn
aufregend und einschläfernd in einem.
Und was seinem Pferd den Weg versperrte
nach ungeduldigem Herumlungern ihm geifernd
entgegengefiebert hatte
jetzt nicht lockerließ
sich nicht von der Stelle rührte
ihn mit seinen Blicken verschlang
aufbegehrend sich spreizte
den gedrungenen breitmäuligen Kopf
über flappender Kehlhaut
mit scheibenartiger dicker Zunge im kindlich offenstehenden
Maul
ihm entgegenreckte
diese gefiederte flügellahme Kröte
quarrende Ausgeburt erdiger Faulschichten
hatte er
nun schon überzeugter Trunkenbold der Wirrnisse und des
Schwindels
längst überflogen.

Ein leises Wehen ging durch den Federbusch auf seiner
Helmspitze

wie durch zartgewachsene locker auseinanderfallende
Farnwedel
Traumkraut seines Schädels
dessen Keime heimlich die Fontanelle geöffnet
wuchernd und ausschlagend den Helm durchstoßen hatten.

NACHT NEBEN NACHT ÜBER TAG

Mennigrot in kleinsten Portionen
aufgesternt
Wortanhauch oder -flug.
Gauchheil
gegen Sticktau am rissigen Boden.
Den ausgesparten Abhang entlang
endlich September
bebend unter Flügeln von Schlupfwespen
im Kern geschwärzt lichtsäumige Espen
Abzweig von den männlichen Kriegen.

In England mehrmals auf und ab gegangen.
Wasserfall eines Teiches im verdüsterten Ohr
Tag und Nacht
durch Espenlaub
für sich oder einwärts.

Vor Sehnsucht nach einem falben Fußbett unter schmalen Sohlen
frühzeitig verblödet.
Allein die Feldtauben gegenwärtig außerdem.
Turmhohes Gurren über den Quartieren.
Im Sitzen klopfte die Erde
von Herzschlägen und -sprüngen.
Kein verbindlicher Gedanke an die weit zurückliegenden Knochen
den früheren Skelettzusammenhang
die Tanzwut
sowie die Ernährer und Aufzehrer hinter den Maschinen.

Stundengemurmel ans Ohr gepreßt
Hinsuppendes Hechelndes
schon vor den Tatsachen Verpufftes
so daß übergreifend weiterhin Dürre sich ausbreitet
unbemerkt
Wasser- und Luftnot
und die sauber ausrasierten Nacken der Jungverbraucher
bruchlos in den Tag hinüberragen
kopfhoch durch Hemd- oder Blusenkragen
und das vollständige Ausbleiben von Stürmen und Gerüst-
schlägen
in Gehirn- und Augenhöhe.

Auf die Halbinseln und Wasserländer
ans Hochufer
in allerletzter Minute
und kurz vor der Versilbung.
Auf die dumpf durchpulsten Fundamente
zwischen Ton und Echo.
Geworfen oder hingeleckt
sich verlängernder Speichelfaden des Sumpfes.
Ein Rauschen und Strömen der gesunkenen Flüsse im
Untergrund
Zersetzen der kopfüber in die Weichteile gerammten Wälder
Zerfallen Auflösen von Stämmen und Baumkronen
bis hinunter zu den Gipfeln untergegangener Gebirge.
Ein Umkippen der Bestände
bis die Toten landen
und das Gesichtsfeld der Lebenden zerhauchen
ohne Widerhall.

Gefallene Sätze aufgesprungene Worte
mittellos am Leben erhalten.
Und das Tier in der aufgeschlagenen Abwesenheit
jenseits der Verspielung schwer gealtert
hart ans Verbliebene gedrückt
an Wüsten- oder Zimmerränder
in triebhaftem Höhlengehorsam.

Widergängerin treppunter
ohne eigene Röte
vorgeschriebene Hitze
auf unverdienten Geldern erliegend
stückweise und gegenwelthalber.
Verschlossen im Wartestand
den Ausschluß beobachtend.
EYE IN THE DOLDRUMS
Sekundenlöser in der abgewandten Stille.
Ruheherde sind Steineichen
in St. Johns Wood
nüchtern unnahbar an die Erde geschmiegt
zwischen weißen Küstenfassaden.

Noch ein Dämmerungsvogel im kahlen Geäst
Hocker über der flutenden Themse
sang in die bald hundertprozentige Verdünnung hinein.
Von Kaffee zu Kaffee
Fernsehbild zu Fernsehbild
Zigarette zu Zigarette
erstickt verendet gestorben
und Punkt zu Punkt.
Nicht die Gestorbenen fallen hier ins Gewicht
noch diejenigen die die Welt bestimmen
auch nicht die immer zahlreicher werdenden Kippsüchtigen
oder deren Abwarter

aber die AUSHAUCHER
jeder für sich
die dauerhaft Ohnmächtigen
ON DOOMWATCH MISSION
auf den ersten Blick
in Wahrheit leibhaftig ausgespannt und -gebootet
allen Laufrichtungen entschlagen
ohne Höhlung oder Hecke
unter Baumstümpfen an Tafeln.
Inbrünstig schwerelos
ström- und mündungssüchtig.
Die Zeit ein Wolkenschub
Blitz Schlag oder Schatten
giftmischend im Lager der Tätigen.
Unter dünnsten Augendecken
Nick- oder Spürhäuten
weitsichtig das opalene Blau
obdachlose Landschaft der sich schließenden
öffnenden Gegenwelt im Wechsel.

Ums Verrecken noch Rühren im Versagten
Abgebrochenen Entzogenen.
Ausharren im Januar an Haustierexkrementen entlang.
ER fortschlingernd in den Eingeweiden.
Voller Wucht in den Bauch getretener Hund
freigeschlagene Wahrheit an beliebigem Ort.
Eingedickt sichtlos.

I am sick of streets and people
I can't bear the sickness any longer.
Der Tag schlägt um.
IS IT I
Muttermal Flechte Farn

federweicher Flaum
unter Zudecken gedrückt.
Mit einer Drossel über den Sommer zu kommen
bei weltweit unerträglicher Nachbarschaft.
Den Käfig aller Vögel betreten
das Schleppnetz alles Aufgehobenen sinken lassen.

WAS IST DER AUFTRAG
nachts um drei zwischen Bett und Badezimmer
nachdem die ersten Pflichten
nie abgeleistet wurden
im Frühstadium tumultuarisch zurückgewiesen
kalt umnachtet der Dienst aufgekündigt wurde.

In der unverantwortlichen Sprache Toter
nicht hörbar reden
Hapaxlegomena
Bitter- Süß- und Senkstoffe
auflösen in Hauchbares
das an den Tätigen vorbeiströmt
nur ausnahmsweise Nerven wäßrige Organe Zerrgelenke
streift
und schon wieder weitertreibt
unteilbar
aufs Geflockte zu.

Herzverschlag
pulsierender Müllsack
im verschlossenen Korb.
Reizbar entzündlich
mit der Veranlagung zum Feuersturm
in den Kanonenofen gestopft.
Sich verzehrender Schlucker
im Dauerrückstand.

Schlaf jetzt
unter den Tritten der Dagewesenen und gleich schon
Wiederkommenden.
Halbwertzeit unbrauchbarer Affekte.

Wie angewurzelt im Liegen im Stehen
vor den Städten in ihnen
aber krümmt sich beim kleinsten Geräusch
beim leisesten Windzug
schreckt auf
zuckt zusammen
hält sich abwechselnd die Ohren
das nicht durchstoßene Auge zu
die aufspringenden Wunden
berührt die Ränder
leckt das überquellende Blut
verschluckt erbricht sich
sieht die Lymphe Fäden ziehen
Haut mit Sand Stein Erde verbinden
reißt sich ein Glied aus
zittert der Ruhe entgegen.
Dünnstimmig verkratzt jeweils abends und nachts
stumm und tonlos am Tag.
Jede Regung wird abgefangen
eingefroren
dann das Ergebnis angestarrt.
Regen fällt ins allseits Abgeschirmte
Vermessene und Verminte.

In Deutschland auf den Rücken geworfen
wenn's hochkommt auf die Seite gewälzt
die bleiche Unterseite hingespreizt

fischblütig lüstern gepfählt
von streng verkniffenen Recken
und der Geilheit und Putzsucht beflissen vorgelegt:
klaffende After und Schlitze
Zitzen
zahllose Brüste
angeschnittene Kehlen gekerbte Gliedmaßen
durchbohrte Zungen und Schlünde
durchstoßene Schädelrückwände
direkt neben dem nervösen Tänzeln der Angestellten
der buckelnden Fürbitte der Versprochenen
dem Achthaben der Auftraggeber.
Öffentliche Beschlagnahme
durch Fahnenpflanzungen ins
lichtscheue Sonnengeflecht.
Ausgekörperte Lebensziele
alleingültig und sattsam dem Endverbraucher zugestoßen.

Weder bebt der Rocksaum noch zittert die Unterlippe.
Vielleicht klirren verloren die Beschläge
schaben die Scharniere
an den ge- oder entladenen Körpern.
Im kostbaren Moment der Exhibition
heilig an Brückenträger gelehnt
in Unterführungen gekauert
unter Gleise gebeugt.
Vorschriftsmäßig aufgezäumt
vor dick aufgetragenem Gold
und insgesamt anberaumt in Richterstuben.

Kinder rufen ins Verwandte
Säuglinge schreien ins Fleisch.
Einer durchkreuzt beständig die Bläue
lehnt jede Speichelübertragung ab.
Schlägt heimlich mit starren Flügeln einmal pro Jahr
vielleicht wenn es heiß wird
nimmt auf und kennt keine Notdurft.
Riecht nicht das Blut
nimmt keine Notiz.
Atmet selten aber nur ein.
Ist unerwartet behutsam den Schnittstellen verpflichtet
und verrechnet sich nicht.
Unter seinen Blicken schnell noch ein Zubereiten der
Tagesration
im toten Winkel.
Dann stillgehalten.
It is over. IT IS OVER I SAID.
Schneide stählern im Ohr
scharf aufkreischend ins Sägemehl.
Und erhebt sich in die laufenden Ereignisse
läßt ALLES unter sich und zurück.
Im dämmrigen Garten scheckert's
vermißt die Entfernung des Gelichters.
Zu Hilfe kommt nichts.
Stickige Trichterverliese
liquidierte Zangengeburten.
Zerr- und Preßschweiß
ausgetrieben
bis zum nächsten Besuch.
Kümmern Sie sich nicht weiter darum.
Das Buttergestirn bleibt fest vernagelt im Kosmos
teils inwendig dauerverlobt
teils doppelbetthörig angetraut.
Betrachten Sie sie als erledigt.

Mahlend die Nacht
oder was
die toten Zähne
eingekübelt im Einzugsbereich
jedoch unhaltbar schluck- und speicherversessen.
Unter dem gehörlosen Dröhnen der Fernaufklärer
sichtiges Paarungsgescharre im Zweiminutentakt
sowie strahlenförmige Bewaffnung der Einkaufszentren.
Geduckt wallen die Unterwasserplantagen
bevor sie regelmäßig ausgehoben werden.

Gleich unter den Brüsten
sorgfältig freigelegt von Untergebenen
ein zweites skrofulöses Augenpaar
das aus eigener Entschlußkraft die Lider nicht heben kann.
KÖNIGINNENBLICK
umgeben von Tupferkolonnen
befehligt aus der Horizontalen
die hochempfindliche aber zähe Liebe.

Auf den Trottoirs der Kriech- und Standstraßen
abgelaufene Gesichter
gestürzte Fische
posthum aus dem Geschlecht gestoßener Samen.

Einer will sich erheben
kalt und klamm
eingeschlagen in Bandagen und Laken
bewegungsloser Auftakt
des Sichentwindens.
NACHT NEBEN NACHT ÜBER TAG
DESCENT INTO LIMBO
HARROWING OF HELL.

RIO TERRA

I

In die Verneinung
sich aufknüppelnd
den Morgen
abweisend.
Haßerfüllt begeifert und bestiert
von den Rändern der Tretmühle her.
Kein Aufatmen gestattet
auf einheimischem Gelände.
Bis an die Zubringertrassen
hochgestapelt kleinteiliges Gedächtnispack
noch beim geflügelten ersten Geleit aus dem
Untergetauchten
riß die schwere Schicht aber auf
teilte sich
schloß Blickfetzen im Sichverflüchtigen zusammen
verwehte leichthin
und gab in unzugänglicher Tiefe
einen Atemgrund frei:
ungerührte Alpenfelder
sonnenarm eigen
selbst um die Mittagszeit
klima- und schlaferhaben.

Die Wirbelsäule ist Wasser
das Fleisch Stein.
Die Eingeweide veräußert

verschüttet
auf dem Pflaster zertreten.
Scheiße mit Fettaugen verschwistert
auf dem jadigen Wasser
Tagesgeschehen.
Abends und nachts dickflüssig tintiger Weg
für die Entkernten.
Uferlose Agonie
beschallt
zerdröhnt
unter Nachrückendem aufgerieben
Schlacke der Aschenbahn.

Im goldenen Haus
in die senkrechte Kiste gezwängt
Besenkammer anatomischer Verwerfungen
von langer Hand eingeknüpft ins eiserne Flechtwerk.
Der Blick ausgekugelt
aus dem Gesichtsfeld gerissen
panisch auf der Suche nach Einhalt
abgestürzt an der Wandzeitung
des auseinandergefalteten Steins
dem gestromten Schriftbild aufgeschlagener Marmorseiten
blind für den Spiegeltext der Weltbeben
die Mitteilung der Wolken- Flammen- Flußmaserung.

MAUNDY THURSDAY
von Verzückung und Almosen kurz bestrickt
nach dem Zerreißen und Aufteilen des Fleisches
Phantomjucken der Oberflächen
Zerkratzen
revoltierende Sekrete
benachbart
der spurenfrei ausstaffierten Gegenwart.

Hier sind noch die Finger
lesen sich einzeln auf.
Jede Bewegung enttaucht sich dem Versinken
und Versunkenen
unschlüssig zwischen Niederschlag und Anstieg
den Druckverhältnissen verbündet.
Über den Gelenken aus Blei oder Bruch
schwimmt das Zwillingsfloß
im leibeigenen Salzwasser.

Immerzu Abend und Abstumpfen der Luft
die Tierheit aufs Maß der Afterskorpione zurückgestutzt
mit Ausnahme der bald sich erübrigenden Unikate
der Papageien Kettenäffchen dünnblutigen Windhunde.
Unzutreffendes vor dem Mund Schnabel Maul.
Schlaf unter rüttelnden Lidern.
Die noch identifizierbaren Liebenden
vor der Paarung
abgeerntet zertrennt
halb schon verschlungen.
Einstweilen liegen gelassen
beiseite gezerrte Haupthappen
die zu schlafen scheinen
Restanten ohne Nachgefühl.

II

Wortlose Vokale
Hauchrinnen ins Nichts oder Auswärts
A H I
(Vista – Conoscenza) unbekannt
im Fluß
dem das Wasser geraubt ist
im Bett ohne Decke
auf Laken aus Zermahlenem
Ruhe der Entfleischten am Rande.
Unsäglicher Vordergrund Gegenwart
vor hinter mir
Konsonantenanprall im Abendlicht
Trockenecho der Salven
aus den Bergen reihum
Überwölbung durch Schuß- und Glockenapparate.

Es wird auf der Stelle getreten
verbissen angerannt gegen das Letzte
aus dem Stand angesprungen
und durchstoßen die letzte Fresse
in der Arena vor Ort
das Maul
dem die Fleischsorten eins sind
das süßes Menschenfleisch
in der Freibank verschleudert.

Schöne Gestalten
schönes Leben
in den Mauern
Blumen- und Nachttöpfe

Anrichten voller Gefaltetem Zusammen- Eingelegtem
und Balkone und Söller als Hochstände
um die eingekesselte Freiheit zu beäugen
Pökelopfer auszuwählen.

Im Halbschlaf und draußen
entklumpt sich das Festgestellte
fließen die Sinne ineinander
zu einem zungenlosen Kuß
wieder aus der Gerinnung entlassen.
Es ist alles erkennbar unter den Schlafhäuten
und blendend
eingeklammert in die Besetzung.
Von überall her starren die Lebenden auf die Vorwände
niemand soll weggehen
keiner ankommen
und Eingriffe sind nutzlos.

Man muß sich nur aufrappeln
das Gewürm zertreten
oder vor sich hin wimmeln lassen
die Wunden verglasen
und störrisch ergeben
über dünnste Fadenbrücken ziehen
Klippen entgegen
heimlich Luftverschläge aussuchen unterwegs
hängende Schuppenschlößchen
mit abrutschgefährdeten Gärten
zum verstohlenen Verbleib
am Rande der Kriegswirren und Windschiefer.

Allseits geschärfte Klingen und Zähne
machen Bogen um die Toten.
Bestens gedeihen die Pflanzungen in Reih und Glied
die Anlagen und Befestigungen
und SALOMOS Tempel im Stadtkern
DAMIT DU DICH NICHT ZUGRUNDE RICHTEST.

TRIFOLIUM TETRACHORD

Blutgürtel
Felsenüberwurf
die zweigeteilte Ermannerin
– Maskara aus Blei
zur Beschwerung der Lider –
hatte einen unkenntlichen Traum:
Einhufer berückten das Grauen des Morgens
ritten aus mit glühendem Beschlag
entgegengesetzt
verschwanden im Wasserdickicht.

Aus der Nähe die Landschaft verrät wenig
Brandzeichen von Sonnenfraß
oder Pferdefuß.
Sonst nur der dreiblättrige Klee
und nichts weiter Geglücktes.

Von früh an Verzehrte hält sie sich fleischarm
blickt dünnlippig gepreßt in die immer gleiche Versenkung
auf den Trottoir gewordenen Wellengang
und sieht einerseits scharf
den Aufgaben bis auf den Grund
andererseits nichts deutlicher
als die Milch ihrer
vor der Zeit und freiwillig
sich eintrübenden Iris
den Arcus senilis
der alles übrige
gnädig einnebelt

abstumpft
verwischt.

Dies ist mein Leib am seidenen Faden
abgespaltenes Paket
gewaltige Entnahme
mein Pfau und Geflügel
Gebiß Blutsack
Zwiesel und Dickicht.

Vor schiebt sich die Futterpflanze
dreifältige Monokultur.
Und gleich morgens Krönung durch Haarspangen
mittels in den Schädel
geschlagener Krampen.

Der Anzulernende kommt aus dem Gewitter
wie immer
noch poltert's
hinter dem sämigen Kinderkopf.
Ihr aus dem Gesicht geschnitten
gleich an die Kandare genommen
und muß es ihr zeigen
Zeremonienmeisterin der Abwärtsbewegung
der Zustöße
der zweckdienlichen Verbindung
mit spitzen Fingern
gerichteten Blicken.

Die Augen schwimmen vor Nahsicht
vom Staub der Bindemittel.
Das ganze Gefängnis ein Schatten

mal heller mal dunkler
quillt die Zunge
verdünnt über die Zähne.

Sie flutet
sie sinkt
vergißt oder erinnert.

Nur die mit den heilen Knochen
die Ansässigen
kriegen ihre Auferstehung
auf bewimperten Landstraßen
in Esterwegen zum Beispiel.
Mittagszeit
und wieder nur Strichwolken
und einige Schießbefehle.
Ligusterblüte
brechreizend
in der abgestellten Luft.
Kein Vogel
Hub oder Flug.
Tauch- und Ballastzellen
bestimmen
den Tiefstand
ihres Aufenthaltes
dazu das Wummern der Aggregate.

Verbunden den DAWNTRADERS
– Garantien Gebrauchsanweisungen
ihre einzige Lektüre –
übersieht sie den Rest
der nur lauern

beischlafen
sich abspritzen kann
wie die toten Augen des Sommers
in St. Botolph
stellvertretend
Schließmuskel im Gras
Krater
und SHAMRACK
welk zwischen den Beinen
beim Schau-Koitus.

TRIFOLIUM
TETRACHORD
Das hier wird abgeatmet
flächendeckend und gründlich.
Auf den Boden eingeschworene
Säulenwucht
Übertrag aus römischem Backstein
nachglühend im Abraum
unterkellert
dach- und wandfrei
die Zeit
das Vergängnis
landesweiter charity shops
der Kindesmißhandlungen
des Passagengefluders.

Marmoriertes Wasser
mit blutigem Einschluß.
Vor dem Schnellbegräbnis im Matratzengrund
den Kopf schon lange bis unter die Kissen gedrückt
noch ein erweichtes Ja

selbst zu diesem Leben
gemümmelt
durch das geißblattgesüßte Bettzeug
den Grasmückentonquell
Überschlag am Bahndamm
im verkommenen Gebüsch.

Ihr Mundling blutet
zu Boden
sie zählt ihn aus
die Worte tonlos aber im Tanzschritt.
Ihr wird der Augapfel durchstoßen
nach den Regeln des Pupillengerichts:
niedergeschlagene Blicke
hündisch
und Abtritt ins Totendepot
bis zur nächsten Unterrichtsstunde.

MUNDSCHLUSS

I

Engellose Flügel
am Todwort
geräderten Horizont.
Kampfschritt
in den beinhart gespannten Unterbauch.

Es soll sich schon ausbrüten
taubeneigroß aber schleunigst
in den Fratzenhumus gesetzt an der Front
und leichthin übergangen
und zertreten
beim Abmahl bereits.

WEHE DU VOGEL TÖTEST MICH
zwischen drei Wasserläufen
eingepfercht in den Korral einiger Söhne.

An den Bruch- und Reißrändern
verhohlene Klarheit.
Im Helldunkel der Redeschauer
stellen sie die Hähne ab
drohen mit der Potenz
spitzer Knie und frisch geschnittener Nägel.

First
LICK YOURSELF INTO SHAPE
dann schwachstimmig
wie Tierlieder gesungen
über die Brüstung geneigt
die Sarkophagwand
und schon die ersten Pfeile in der Nasenschleimhaut
und Verwandtengemetzel.

Auf dem Rasengrund
der Stelle
ein Wind oder Sturm
der die Wüste mitreißt
ohne sie zu berühren.
Seraphimschläge aus der leibhaftigen Eibenschwärze
der Halt.
Landschaftsvektoren
und Vorwärtsschluchten
in denen alles schläft
das Bodenpersonal
blind den notwendigen Dienst versieht
mit versteiften Gliedern.

Ein Huflattichflanell
wäscht die lebensmüde Haut
neben den Gleisen
während auf dem Picknickschirm
immer dieselben
Skelette auf- und verglühen.

II

Flugschwärme höhen die krampfenden Orte
eilen rauschhaft verstummt
die Zugstrecken entlang
eigenwillig
arglos
auf Fernziele zu.

Wind-
triebverwobene Luftrochen
hin und zurück
gerissen
geschlitzt
aus dem Blau geschlagen
des Tages der Nacht
entleibt
zerlegt
und glasig fettenden Auges
geruhsam verdaut.
Aber Millionen Mal.

Nachtintelligenz
hinterlegt die angebrochenen Brücken
beweint trocken und kurz
die kleine Tote im Hof
bäumt sich auf
unter vier schweren Decken
stürzt sich zurück
bis hinter die Barbiturate
den Anschwall
die Verkettung der Besatzer

das Gellen der Telecombörse.
Rasant breiten sich weiter
die Geschlechtsboten aus
reißen die öffentlichen Verkehrsmittel an sich
und Schmatzhorden
verheben sich an den Trüffeln
inmitten all der Massaker
ununterschieden.
An Preßluftbohrer gefesselt
treiben sich
bis unter den Straßenbelag andere.
Passanten atmen ruhig
beim Abtasten der Attacken.

III

Entsichert
bereit für die Querung
lösen sich aus dem Salaamkrampf
Worte
enthoben dem Bellwerk
der Aufseher und Abwürger
entwichen den Fettzapfern
Fallmeistern von heute und morgen
umgehen
fern nebenan
die Durchtrennungen
Botswanas Zäune
kreuz und quer
in Drahtverhaue
sich einfolternde Tiere

die unverbesserlich lauf- und trinkbesessenen
Verwesungshöfe
in seicht lakenden Wassern
zum Schlußatem auf die Seite gelegte
Populationen
Abländer zum Verrecken hingestreckt
und aufgetriebene
schäumend kollabierende Ozeane
mit unbeirrbar
gläubigen Weißleibern.

IV

Schrieb
den Kopf auf der Schüssel
angerichtet
wie im Schlaf

sprach
mit eingeklemmten Organen
schickte schwimmende Steine aus
befispelte
Mannlöcher Gullis
kratzte Scharten Kuhlen
in den Boden
mit zersplissenen Nägeln
und las abgemurmelt
DO NOT TALK OUTSIDE THIS AREA
hob das Erbrochene auf
und etliche asphaltierte Schlüssel
in St. Albans.

Silberblicks
ins Blaue verrückt
doch noch
mit angehobenem Gesicht
zwischen Reißzähnen
weißer Taube
und Sterbesenke.
Schwer klumpt das Gedächtnispack
verknappt die Vision aufs Allernotwendigste
kappt die kleinste Verklärung ab.

NOLI ME TANGERE
an einem Unterort ausharrend
bäuchlings
verkrallt in Bims
die Flügel angelegt
aber zum Schirm gebreitet
gegen die schlank Aufsteigenden
verbissen in den unverdaulichen Saum
die Takelage der Dame.
Liest mit den Zähnen
der Zunge
drückt Silben an den Gaumen
spült sie über den Maulboden
speichelt sie ein zu verschlüsselten Noten
und behält alles bei sich
eingebettet in weite Entfernung.

Am Einfallstor
zum Ende
der Verklappung
an Kanal Schacht Gang

tönen den Raum
irrlichternd auf
die Kehlchen.
Nur der Mauerrand brennt
lodert schwarzgrün
von Samenmänteln glühend befleckt.
In die Nachtverschalung Tagetes
gegen die SEUCHE
die anpäßliche Schreckensherrschaft.

Mit Wolkenrotten geht's auf
bliebe der Blick
WO DIE AUGEN ZUGEDECKT.